To. _____

_____

_____

_____

_____

_____

_____

_____

_____

From. _____

나에게 꿈을 만들어 준
그녀가
이 책을 꼭 봤으면

<u>시인의 말</u>

누구나 살아가면서 사랑을 하고
이별을 한다
나 또한 사랑을 해봤고 이별도 해봤다

심지어 이별의 아픔이 크면
사람이 얼마나 추해지는지도
몸소 느껴 봤다

이별을 통해 사람이 변해가고
성숙해진다
때론 새로운 꿈, 목표가 생기기도 한다.

차례

2부 사랑

3부 겨울

4부 나의 시

5부 짝사랑

1부

너에게 쓰는 시

너는 알고 있을까

너는 알고 있을까
너를 떠나보내고
내가 많이 아팠다는 것을

너는 알고 있을까
너를 떠나보내고
내가 아직 많이 사랑한다는 것을

너는 알고 있을까
너를 위해 글을 쓰고 있다는 것을

너는 알고 있을까
내가 꿈이 생겼다는 것을.

나의 첫사랑

"첫사랑"
참 아프면서도 두근거리는 단어
현 애인이 첫사랑이 아니라면
참 아프고
현 애인이 첫사랑이면
참 행복할 것이다.

"첫사랑"
기준이 무엇일까
가장 많이 사랑한 사람
제일 오래 좋아했던 사람
사랑하는 법을 알려준 사람
사랑을 받는 법을 알려준 사람
아님 가장 아팠던 사람

기준이 참 많다
저 많은 기준에 충족한 네가
지금도 생각이 나는구나

용기

"보고 싶었다."
"그리웠다."

차마 전하지는 못하겠다.

널 그리워하는 마음은 이리도 큰데
너에게 전할 용기는 왜 이리 작은 걸까

왜 마음은 용기와 비례하지 않는 걸까

왜 나는 너를 사랑했을까.

안녕

"안녕!"이라며 다가온 넌
한여름 오후보다
밝았고

"안녕."이라며 떠나간 넌
한겨울 저녁보다
어두웠어

전하지 못 한 말

사랑한다고 말하고 싶었다.
내 마음을 모두 전하고 싶었는데

전하기도 전에 네가 떠나갔다.

미운 사람아
이기적인 사람아

너만 바라보고 있는 거 뻔히 알면서
날 떠나야만 했느냐.

이 미운 사람아

나직이 울리는 마음

나직이 울리는 내 마음을
네가 들을 수 없겠지만

전할 용기가 없어
거절이 두려워

어쩔 수 없이 나만 들리게
간직한다

좋아한다. 생각난다

울리지 못한 마음을 이렇게 쓴다.

연시, 연서

연시라 쓰고
연서라 읽는다

그것이 내 글이다

내 모든 글자엔
내 눈물과 슬픔이
또
내 웃음과 행복이
담겨 있고

내 모든 문장엔
네가 쓰여 있다.

소망

네가 떠난 지 어느덧 1년이란 시간이 지났구나.
잘, 지내고 있느냐

난 아직도 네 생각에 잠을 이루지 못하고
하루하루가 무기력하다

한 번만 평생에 딱 한 번이라도 좋으니
네 얼굴 한 번만 보았으면 좋겠다.

깨달음

처음 겪는 이별이라
매일 슬픔으로 살고 있던 난
시간이 지난 지금 생각해 보니
사랑이 다가 아니란 것을 깨달았다
네가 없는 난 무척 잘 살고 있다

너도 잘 살 거라
나의 고마움이여.

구석

너무나도 사랑했던 사람
순간순간 행복한 기억들로 채워준 사람
몇 년이 지나도 잊히질 않던 사람을
참아 잊을 수 없던 나는

달보다 슬픈 사랑
태양보다 보기 힘들었던 사랑을

내가 보이지 않는 곳
내가 느끼지 못하는
마음 한구석에 밀어 놓는다.

덕분에, 때문에

오늘 새벽엔
안 울려 했다

비가 와서 그런지
이번엔 마음이 아닌
내 눈에 비가 오고 있다

덕분에 행복했고
때문에 아팠던 사람

참 밉다.

내 망가진 일상

너와 헤어진 게 아직도
실감이 나질 않는다

금방이라도 전화를 걸면
반가운 목소리로 받아줄 거 같고

아침에 눈을 뜨면
잘 잤냐고 연락이 와 있을 거 같아

네가 없는 내 일상이 너무 허전하다

왜 내 일상이 되고
왜 내 일상을 망쳐버린 것이냐

언제쯤 난 내 일상을 찾을 수 있을까.

구름

사람들은 구름을 보고
마음이 편안해진다더라

나는 널 볼 때마다 마음이 편해지는데
그럼 넌 나에겐 구름인 것인가

그게 뭉게구름이든 먹구름이든
뭉게구름이면 바라봐 주고 이뻐해 주고
먹구름이면 비를 맞아주고 달래주면 되는 걸

난 너에게 그 정도의 사랑이 있으니

하늘에게, 나에게 떠주기만 하면 된다.

찾아주세요

시간이 지나가도
세월이 흘러가도
미련이 아니라 사랑이면
전 어떡합니까

저 정도의 사랑이면
다른 사랑을 찾지도, 하지도 못할 텐데

내가 사랑하고 있는 그녀를
데려와 주세요

내가 애타게 찾고 있는
그녀를 찾아주세요.

약

잠에 들려니
갑자기 마음이 한 대 맞은 듯이
매우 아리다.

눈에서는 영문도 모를 눈물이 흐르고

한참을 아파한다.

약을 먹어도 그대로였던 이 통증이

너의 걱정 한 마디에 치료가 된다.

어쩌다 이렇게까지 된 걸까

어쩌다 마음의 병이 이렇게까지 심해지고
네가 내 유일한 치료 약이 되었던 걸까.

끄적끄적

오늘 하루는 참 바쁠 거 같구나
너를 지우고
너를 써야 하는
아주 바쁜 하루

펜 하나를 들어
흰 백지에 글자 하나하나를
채우니
내 머릿속이 비워진다

백지는 채워지고
내 기억은 지워지고

좋은 건지 나쁜 건지
모르지만 계속 써본다

널 잊는 방법 중 제일 괜찮은 방법이다.

흐릿하게

달리는 기차에 앉아
옆에 있는 창문을 바라보니
바깥 풍경이 마치
주마등 같구나

오히려 좋다
지금 뭘 자세히 볼 기운은 아니거든
그냥 생각 없이 멍하니
바라보기 딱 좋은 환경이다

너도 그냥 흐릿하게 지나가거라
그래야 덜 기억되겠지.

깨달음 2

매일매일 하는 네 생각이 이젠 지쳐간다.
너를 볼 수 없으니
내 맘도 점점 식어간다

영혼 없는 글자를 주고받는 게
이젠 의미가 있나 싶다

네 곁에 머물러
생각이 아니라 행동을 해주고 싶다

졸리면 내 어깨 하나 빌려주고 싶고
추워 보이면 겉옷 하나 걸쳐주고 싶고
피곤하면 보이면 따뜻한 커피 한잔 같이 마시고
싶고
울고 있으면 옆에서 같이 앉아 다독여 주고 싶다

하지만 그러기엔

네 몸과 마음이

나와 너무 멀리 있다

몸이 멀어지면 마음이 멀어진다는 말이
과언이 아니었음을 너로 깨달았다.

추억

너의 기억을 불러와 글을 쓰고
나의 진심을 불러와 시를 완성하고

이젠 펼쳐야 보이는 우리들의 추억
시작과 끝이 아닌
과정이 들어간 추억이
펼쳐지니 새롭구나

너 밖에 몰랐던 그 시절
너 때문에 힘들었던 그 시절이
모두 추억으로 남겨지겠구나.

궁금

하루하루가 행복이었던
너를 만난 날

하루하루가 슬픔이었던
너를 보낸 날

행복한 만큼 아프다는 것을 알려준
너는 잘 살고 있는 것이냐

가끔 아주 가끔이라도 내 생각을 하고 있을까
이젠 그만 궁금해야 할 때가 됐지만

행복한 만큼 슬플 줄이야
보고 싶은 만큼 궁금할 줄이야
아직도 네가 좋을 줄이야.

너를 사랑하는 이유

너여서 사랑한다
네가 곧 사랑이다

이 말 밖에 할 수 없다

굳이 이유를 말 하라 하면

이 사람을 대신해 죽어 줄 수도 있고
보기만 해도 심장이 뛰고
평생 바라볼 수 있을 사람이
너다

내 평생 너 같은 사람은 없을 거 같고
내 평생 이 정도의 사랑은 다시없을 것이다.

되새김

내가 더 좋은 사람이었으면
떠나가지 않았을까

내가 잘 해줬으면
떠나가지 않았을까

내가 더 사랑했으면
떠나가지 않았을까

아니면 나여서
떠나간 걸까.

걱정 2

제법 쌀쌀해진 날씨
따뜻이 입어라
감기나 걸리지 말고
내가 걱정하게 만들지 말고
몸조리 잘 하거라

내가 걱정 안 해주어도
네 곁엔
널 걱정하는 사람들이 많더구나.

기억

너무 소중해
꽉 쥐다 못해
그대로 부서진
너와의 기억

잊으려 하면 잊히지 않고
잊지 않으려 하면 계속 잊히고

행복했던 만큼 아팠던 내 기억
벚꽃이 흩날리는 필터가
이젠
낙엽이 떨어지는 필터가
쓰인

슬프고, 잊고 싶은 기억.

정신

하루하루가 지옥이었다
잠에 들기 힘들었고
잠에서 깨기 싫을 정도로
맨정신으로 있기 힘들었다

새벽에는 매일 술을 마셨다
술병이 나도
지인들이 말려도
난 항상 술을 달고 살았다

네가 없으니
맨정신으로는 살 수 없었다.

낙엽

너를 사랑하는 동안 나는
가을처럼 외로웠다.

우리의 인연은
떨어지는 낙엽처럼
한순간이었고

널 그리워하는 내 마음은
떨어진 낙엽을 그리워하는
나무보다 커.

끝나갈 무렵

곧 이 시가 끝나간다
곧 이 시련이 끝나간다

내가 겪었던 감정, 경험이
끝을 본다

한 편으로는 좋고
한 편으로는 싫다

난 너를 잊고 싶지만
한 편으로는
난 너를 잊고 싶지 않다

무슨 변덕이고 심정인지
아무도 모른다

물론 나도, 내 마음도.

눈꽃

쓸쓸한 낙엽이 떨어진
나뭇가지에
하얗고 하얀
눈꽃이 피었구나

언제 녹을지 모르지만
나무에서 핀 꽃은 아니지만

아무렴 어떠냐
이쁘기만 한데

너도 내 옆에 없으면 어떠냐
이쁘기만 한데

눈꽃 같은 계집애.

네 생각

온종일 하루 종일
네 생각에 아무것도 할 수가 없다

밖에 나갔으면 따뜻하게 입었을까

밥을 먹을 시간이면 잘 챙겨 먹었을까

집 들어갈 때면 조심히 잘 들어갔을까

나 혼자 생각을 하고 싶어 하는 거지만
별 탈 없이 하루하루를 잘 지냈으면 좋겠다.

바보

많이 아팠던 날
병실에 입원할 정도로
아팠던 날
누나에게도 부모님에게도
연락할 힘조차도 없을 정도로 아팠던 날

네 목소리 한 번만 듣고 싶었다

너의 "괜찮아?"

한 마디면 나을 거 같았으니..

끄적끄적 2

오늘도 열심히 너를 썼다
썼다 지웠다
울었다 웃었다
반복하면
비로소 시 한 편이 완성된다.

의문

"따뜻하게 입어라"
"밥 잘 챙겨 먹어라"
"밤길 조심해라"
"잘 자라"

모두 너 한 명에게만 보냈던 말
나는 한 번도 듣지 못했던 말
역시 나는 받는 것보단
주는 거 밖에 못 하는 사람인 것일까.

둘이

사랑도 둘이 하는 것이면
이별도 둘이 해야 하는 것이 아니냐

난 아직 시작도 안 했는데
넌 왜 끝을 맺은 것이냐

이기적인 사람아
내가 주었던 사랑조차
달에게 버리고 간 사람이

허무하게
흐릿하게
환한 노란빛 속으로 사라질 줄이야.

할 일

네가 떠나간 뒤
할 게 많아졌다

너를 잊으려 애쓰고
너를 끄적이고
너를 사랑하고
네 생각 하기

널 그리워하기.

너의 대한 모든 기억

내겐 여행 같았던 너와의 추억

아주 오래 머물렀던 슬픈 기억

아직도 빠져나오지 못 한 심연 속 미련

나직이 울리는 내 작은 사랑…

12월 21일

널 잃은지 벌써 1년도 더 지났구나
가끔 소식이 들려올 때면
내 마음이 먹먹해지지만
한편으론 잘 지내고 있어
다행이라고 생각한다.

아직 남은 올해
수고 많았다

내가 늘 응원하고 있으니
남은 1년 별 탈 없이 보내라
나도 이렇게 글 쓰며
잘 지내고 있으니.

목소리

영혼 없는 글자들만
왔다 갔다 하는 게
이젠 지친다

네 예쁜 목소리가 아닌
영혼 없는 웃음소리 울음소리
이젠 지친다

한 시간 아니
1분이라도 좋으니
이쁜 네 목소리 한 번 들으면
얼마나 힘이 날까.

시간

과연 시간이 중요할까
긴 시간
짧은 시간

행복했으면 된 거 아닐까

보낸 시간 동안
후유증이 남는 시간은 다르겠지만
너를 만나고 깨달은 것은

행복한 만큼 아프다는 것이다.

하늘

하늘이 맑으면 밝고
하늘이 흐리면 무기력하고
하늘이 붉으면 슬프다

하늘과 내 마음은
비례하는가 보다.

하늘은 좋겠다
저 높은 곳에서
널 바라볼 수 있으니.

약속

다시 만날 것이다
이 하늘 아래서
이 땅 위에서

다시 만날 그날까지
열심히 성장하겠다

남부럽지 않은 사람이 되어
네 눈앞에 서겠다

그때까지 잘 있어주렴

내 첫사랑아.

주워들은 말

"사랑은 시간이 지날수록 진해진다."

시간이 해결해 준다는 말이
절대 맞는 말이 아니란 것을
너로 인해 알게 되었다

시간이 지날수록 너는 더 진해지고
깊어졌다.

꿈

너를 쓰다
잠든다

잠들기 전 눈을 감으면
네 생각에 잠들지 못해
항상 너를 쓰다 잠에 든다

간혹 네가 내 꿈에 나온다.
내가 썼던 내용과 반대
꿈이 흘러간다

좋다

오늘 네 꿈을 꾸고 싶으니
오늘은 내용을 슬프게 쓰겠다

이렇게라도 너를 볼 수 있다면
이런 악용은 신께서도 봐 주 실 거다.

현타

지금 것
너 보라는 시가
어느덧 몇 백편

막상 네가 보니
기분이 좋지 않구나

내 마음을 알아주라는 표현이
점차 시가 되었지

시인의 길은 걷는 건 좋다
하지만 내 글이
너의 다른 상처에 위로가 될 주는 몰랐다.

우연을 운명으로

실수인 척, 우연인 척
내 앞에 나타나라
그럼
다 잊고
운명처럼 받아들이겠으니.

예상

예상은 했다만
빗나가길 바랐지만
결국 그대로 꽂혀 왔구나

친구가 더 좋다는 말

친구라는 단어가 이리도 슬플 줄이야

친구로라도 남는 게 과연
좋은 선택일까

나는 계속 여전히 이성으로 삼겠다.

저자인 나 독자인 너

저자의 마음으로
독자인 네게
내 시는 어땠는지
물어볼 순 있진 않을까

내 시가 어떻게 받아들여져
내 시에 공감을 했는지
내 시가 너에겐 어떠했길래
다른 상처를 내 시에다
갖다 댔는지

사람 대 사람으로 물어볼 순 없겠지만
저자 대 독자로는 물어볼 수 있지 않을까

그냥 너의 답이 궁금할 뿐이다.

파동

잘 지냈냐는 한 마디에
너의 마음에 파동 한 번이라도 일어났을까
너의 안녕이라는 말에
내 마음은 호수에서 바다로 바뀌었는데

바다에 돌을 던진다고 티가 날까
너처럼 호수에 돌을 던져야 티가 나지

시간이 이리 지나도 네 한 마디 한 마디는
결국 내게 돌이 되는구나.

어둠 속에서

구름이 달빛을 감추듯
어둠이 내 마음을 감췄다

한 줄기의 빛도 없는
깜깜한 어둠 속에서
오직 너를 찾기 위해
이리저리 돌아다닌다

이리 넘어지고
저리 넘어져도
오직 너 하나만
찾기 위해
돌아다닌다

너는 내게 빛이자
희망이다.

더 좋은

더 좋은 말을 해주고 싶었고
더 좋은 영향을 주고 싶었고
더 좋은 행동을 보여 주고 싶었다

보여주기도 전에
떠난 넌 뭐냐
좋은 게 하나 없던 너인데
나는 왜 아직도 좋아하는 걸까.

이별이 쉬운가

너에겐 이별이란 단어가 쉬웠던 거니
아님 내가 쉬웠던 거니

그 누구보다 사랑해 줬고
그 누구보다 아껴줬다

잘 해주어서 쉬워 보인 건지
너는 내게 이별을 주었구나.

사랑, 사람

길거리에 널려있는 꽃들이
마냥 이뻐 보이진 않는다

사랑처럼 보면 이쁘지만
저 꽃들도 언젠가 저물겠지

평생 영원토록 가는 건
아무것도 없더라

사랑도 사람도.

현타 2

1년 동안 너를 쓰는 게 힘들었다
단어는 많지만
이리 작은 글씨로
너를 담기엔
내 감정이 너무 크고 아팠다

하루를 아쉽게 생각하게 만들어 주는
핏빛으로 물든 노을처럼
글 하나에 너를 담지 못한 게
후회된다

1년 동안 한 것을 되돌아본 순간
나의 1년이 물거품처럼 사라진 듯
나에게 실망감이 생겼다

열심히 쓰면 뭐 하나
시 하나에 내 감정을
담지 못하는데.

무언가

방안 가득 슬픔이 채워졌고
마음 한가운데 사랑이 비워졌다

무언가 들어오려면
무언가 나가야 한다는 것을
살면서 깨달았고

무언가 빠지면
무언가 채워진다는 것을
너로 인해 깨달았다

나가는 게 들어오는 게
마냥 좋은 게 아니어도.

여행도 너 때문이면 도망이다

따뜻한 모닥불 하나 피워놓고
멍을 때린다
너로 인해 생긴 많은 생각들을
휴지통에 버리고 싶지만
잊어버리려 하면 할수록
더 짙어진다

책을 읽으면
네 생각이 나고
산책을 해도 네 생각이 나지만
멍을 때리면 아무 생각도 나지 않는다
물론
내가 누군지도 앞으로 뭘 할지도
아무렴 좋다
네 생각이 나질 않으니.

부작용

약을 먹은 탓인지
잠을 덜 잔 탓인지
피로가 쌓였듯이
온몸이 찌뿌듯하다

술 먹은 듯이
잠이 덜 깬 듯이
눈에 초점이 맞지 않고
정신은 몽롱하다

도저히 오늘은 아무것도 못 하겠다

네가 떠난 뒤에 나는
술을 먹지 않아도 취한 거 같고
커피를 마시지 않아도
잠에 들지 못한다

어떻게 해야 이 행동이
이 짓거리가 끝날까

네 생각 보다
저 생각이 많이 난다.

일기장

오랜만에 꺼낸 낡은 일기장
읽다 보니 점점 빠져드는 과거에
네가 써져있다
말 한마디 한마디가
내 눈물샘을 건드리고
내 생각이
내 마음을 건든다

일기장이 어쩌다
네 기록장이 되었을까.

그리운 네 목소리

하루가 마음에 들지 않아
시무룩한 목소리

오늘은 만족했는지
해맑은 목소리

수고했다는
따뜻한 목소리가

왜 이리 듣고 싶은지
모르겠다

같은 말을 들어도

네가 말하지 않아
전혀 들리지 않는다.

달

난 네가 해보단 달처럼 빛났으면 좋겠다

그래야 내가 올려도 볼 수 있으니

있는 걸 알면서도 보지 못하는 게
얼마나 슬픈 일 인지 너는 알고 있을까.

너 때문에

너 때문에 먹은 술이 얼마인가
너 때문에 낭비된 시간이 얼마인가

낭비된 시간 동안 술을 먹었고
술 먹는 동안 시간을 낭비했다

지금이라도 정신을 차리고
술 먹을 시간에
글 하나라도 더 쓰자

물론 너를 쓰겠지만.

혼자

사랑은 둘이 하는 줄 만 알았다
네가 나타나기 전 까진

늘 사랑을 주는 사람은 나였고
늘 걱정을 하는 사람은 나였다

영혼 없는 네 위로에
걱정은 더 커져 갔고

차가운 네 말투는 얼었는지
말이 없었다

사랑도, 이별도 혼자 하는 것이라
생각하게 되었다.

수평선

저 멀리 수평선 너머로 지는 노을이
그저 이쁘게 보인다

핏빛으로 물든 바다 윤슬을 바라보며
하루를 되새기고 내일을 기약하고

달이 뜨면 네 생각에 젖어
글을 쓴다

나의 하루 끝은 너였는데
네가 없으니 노을이 대체하는구나.

파도=마음

일렁이는 거친 파도가
마치
내 마음 같다

바람에 의해 파도가 치는 것처럼
너의 한 마디에 내 마음이 일렁인다
고요했던 호수에서
거친 바다가 된 내 마음을
어찌하면 다시 고요하게 만들 수 있을까

내 눈앞에서 네가 보이지 않으면 될까.

편안할까

기억을 초기화 시키고
마음을 비워
새로운 인생을 살면
한결 편안할까
내 이름도, 네 이름도 기억하지 못하고
내가 그동안 비워내지 못한 사랑, 슬픔, 상처가
사라진다면 한결 편안해 질까
새로운 인생을 산다면
내 인생은 지금보다 찬란해 질까

너를 잊고 너를 알아보지 못하면
한결 편안할까.

바람 2

바람이 불고 불어오면
너도 불어올까

날씨가 맑으면
너도 맑을까

달이 밝으면
너도 밝을까

난 네가 불어오면 반겨 줄 거고
난 네가 맑으면 나도 맑아질 거고
난 네가 밝으면 나도 밝아질 건데.

풍경

이 풍경에 너만 있다면
그것이 그림이다

그림 속에 네가 없다면
그냥 풍경이고

네 마음속에 내가 없다면
슬픔이다.

시에게 버린다

시에게 버린다
내 모든 감정을
너에 대한 감정을
글로 포장해
시에게 버린다

그것이 유일한 방법이다.

파도

잔잔하면서 때론 거친 파도가
내 마음과 같구나

너의 한마디에 지진이 나고
바람이 불듯 내 옆을 지나가면
마음이 흔들린다.

흐린

흐린 날씨 아래 흐린 구름
흐린 구름 아래 흐린 내 마음

심연 어딘가 깊숙한 곳에서
어둠에 감싸져
앞이 보이지도 빛 한 줄기도 보이지 않는다

어쩌다 이 지경까지 온 것일까?

네가 떠난 뒤로 나는
사람 구실 하나 못 하고 있다
물론 힘들어하는 내 탓이지만.

비가 오는 날에

비가 오는 날이면
내 마음에도 비가 내린다
내 눈물이 아닌 마음의 비
흐릿한 구름이 끼고
차가운 물방울이
뚝뚝뚝 떨어진다

맑음이라는 날씨를
찾아볼 수 없을 정도로
흐려진 내 마음의 날씨가
점점 더 구름이 끼고
어두워진다

너라는 후유증이 이렇게 남을 줄이야.

바람처럼

바람처럼 만나면 반가웠던 사람아
바람처럼 지나가면 아쉬웠던 사람아
바람처럼 스쳐 가면 설렜던 사람
바람처럼 사라져 그리운 사람아

내가 풍차처럼 바람이 필요한 사람이 되어
네가 내게 다시 불어올 그날까지
우뚝이 기다려 본다.

이별을 쓰게 해준 너

늘 너를 생각하며 썼던 글이
늘 네가 주인공이었던 내 시가

이젠 다른 사람을 쓰고 있구나
이별을, 슬픔을 쓰게 되는 너와는 다르게

사랑이 써지고
글귀 하나하나에 사랑이 가득하다

고마웠다.
이별을 쓰는 방법을 알려 주어서..

막장

페이지 한 장 한 장
너로 채웠다

한 글자 한 글자
슬픔을 썼다

쓰는 동안 많이 아팠다
계속 쓰다 보니
내 머릿속에서 네가 서서히 사라지더라

고맙다..
처음부터 마지막까지
너를 쓸 수 있게 해주어서

이젠 누굴 위해 써야 하나 고민을 하며
책을 덮는다.

2부

사

랑

목도리 의미

내 마음 가득
선물 상자에 담아
따뜻한 목도리 하나
예쁘게 포장해 본다

선물이지만 보내는 내 마음이 더 설레
마치 내가 선물 받는 이 느낌
오묘하다.

10월에 목도리를 선물하는 이유

"당신을 제 마음속에 두고 있어요."

윤슬

윤슬같이 이쁜 너
너는 이쁘고 흐르기만 해

내가 태양이 되고 달이 되어
널 비춰줄게

그게, 너에 대한 내 사랑이야.

해변

붉게 물든 노을을 빤히 보고 있어 부끄러운지
오늘따라 빨리도 숨는구나

해가 지는 황혼 무렵
물들어 가는 하늘을 보며
너와 걷고 있으니

모래 알갱이들이
내 발가락 사이사이에 들어와 간지럽듯
내 마음도 간지럽다

어느덧
안개가 자욱한 새벽이 오고
반짝반짝 거리는 등대가
마치 너 같구나
내 마음이 방황할 때
뱃길을 알려주는 등대처럼

내 마음의 길을 인도해 준 네가
등대다

이제 그만 비춰주어도 된다
이미 네 마음에 도착했으니.

이쁜 것

반짝이는 소리
일렁이는 달빛
눈부신 윤슬
아름다운 너

그것을 다 좋아하는 나.

나의 일상

행복하지 않을 거 같은 하루가
네 선 연락에 행복으로 시작됐고

불면증으로 시달릴 거 같은
잠자리에 너의
"잘 자"
한 마디에 하루를 끝냈다

언제부터 내 하루의 시작이 너고
언제부터 내 하루의 끝 네가 된 것일까

고맙다
나의 시작과 끝이 돼 주어서.

분홍색

겨울이 된 날
봄으로 바꾸어 준 너

분홍빛이 찬란한
너의 사랑 덕분에
사랑이란 나무가 자라
행복이란 벚꽃이 피었다

고맙다
내게 봄을 안겨주어서.

일상 속에

커피 한 잔의 여유 속에
네가 있었으면 좋겠다

책 한 권의 여유 속에도
네가 있었으면 좋겠다

그냥 내 일상에
네가 있었으면 좋겠다.

좋은 날

맑은 하늘
새하얀 구름
따뜻한 온기
따스한 햇살
흩날리는 벚꽃까지

딱 너를 사랑하기 좋은 날이다.

너

외로운 가을날

단풍보다 붉게 내 마음을
붉게 물들게 해준 '너'
따뜻한 햇살보다 따뜻한 '너'
꽃이 안 보일 정도로 이쁜 '너'
강아지 옆에 있어도 귀여운 '너'
내 곁에 있으면 사랑스러운 '너'

가을이지만 따뜻하다.

걱정=사랑

잠은 잘 잤는지
비가 오면 우산은 챙겼는지
날씨가 추우면 따뜻하게 입었는지
저녁때가 되면 밥은 먹었는지

항상 걱정되는 사람

온종일 너만 걱정하는 걸 보니
걱정은 사랑에 비례하나 보다.

더

어제보다 오늘이 더 보고 싶을 것이고
오늘보다 내일이 더 보고 싶을 것이다

어제보다 오늘이 더 이쁠 것이고
오늘보다 내일이 더 이쁠 것이다

나는 매일매일 너를 사랑할 거다

그냥, 그러고 싶다.

이유 없는 사랑

"사랑한다."

이젠 이유 없이 너를 사랑한다

좋아하는데 이유가 있으면 존경이고
좋아하는데 이유가 없으면 사랑 이랬다

난 이제 널 좋아할 이유는 없지만
좋아하는 이리도 감정은 크니
난 널 사랑한다.

보고 싶다

술 마시면 보고 싶고
눈을 뜨면 보고 싶고
헤어지면 보고 싶다

그냥 매일매일 보고 싶다

내 곁에 오래오래 있어 주거라
더욱 오래 보고 싶으니.

바람

너와 함께 이 긴 여름을 보내고 싶어

서로 땀 흘리면서 매운 음식도 먹고
시원한 맥주에 공포 영화도 보고 싶어

비 오는 날엔 어린아이처럼 우산 없이
놀다가 따뜻한 우유 한 잔 마시는
그런 여름을 보내고 싶어.

빛

태양에게 빛을 받아
어두운 세상을 조금이나마
밝게 비춰주는 달

너에게 빛을 받아
어두웠던 미래가
밝아진 나

고맙다 나의 태양이 되어 주어서.

봄, 가을

나는
추위와 더위가 오고 가는 계절 사이에
쌀쌀한 계절과 따뜻한 계절이 더 좋다

온도는 비슷하지만
온기는 다른
봄과 가을

쌀쌀하지만 붉게 물든 계절
따뜻하지만 분홍빛으로 물든 계절

너와 함께라면 어느 쪽이든 좋다.

넌

넌 참 봄 같은 사람
넌 날 따뜻하게 해주는 사람
겨울같이 추운 실연 끝에
벚꽃같이 이쁜 네가
봄처럼 따뜻하게 찾아와 준 넌

내게 봄이야.

바람

봄과 함께 온 너
벚꽃과 같이 핀 사랑이지만
벚꽃과 함께 지지는 말자

우리를 만들어 준 이 봄을
내년에 더 반갑게, 고맙게
반겨주자.

전하고픈 말

따뜻하게 입어라
감기 걸린다

잘 챙겨 먹어라
건강해야 된다

사람 조심해라
사람은 믿는 게 아니다

너무 늦게 들어가지 마라
걱정된다

고양이 조심해라
널 너무 쉽게 꼬신다

좋아한다
진심이다.

단 한 사람

날씨가 좋은 날
떠오르는 단 한 사람

맛있는 걸 먹으면
떠오르는 단 한 사람

내가 힘들면
달려오는 단 한 사람

너무 보고 싶은 내 사랑.

하나뿐인 사랑

항상 내 곁에 있어 주는 그녀가
너무 고마워 사랑으로 보답한다

눈에 보이지는 않지만
손으로 만질 수는 없지만
마음으로만 느껴지는
단 하나 밖에 없는 사랑

매일매일 자라는 사랑
오직 그녀 한 명에게만
줄 수 있는 사랑.

못

누가 맑은 하늘에 이쁜 구름을 박아 놓았을까
참 이쁘기도 하다

누가 맑은 네 눈동자에 별을 박아 놓았을까
너무 이쁘기도 하다

누가 내 눈에 너를 박아 놓았을까
어딜 봐도 너만 보인다.

궁금

잔잔한 호수에
돌멩이 하나 던져 본다

작은 파동이 일렁인다

잔잔한 내 마음에
네가 들어왔다

아주 큰 파도가 일렁인다

잔잔했던 내 마음이
이렇게 요동칠 줄이야

너는 뭐길래 내 마음을
움직이게 할 수 있는 걸까

참 궁금한 사람이야.

우산

우산을 하나 펼쳐
너와 같이 쓴다

우산은 2개지만
내 어깨가 다 젖고 있지만
네가 비 한 방울이라도
맞는 게 싫어
너와 조금이라도 붙어 있고 싶어
우산 하나로만 견뎌본다

가까이 붙어 있으니
내 심장 소리인지
네 심장 소리인지
내 귀까지 들리는 거 보니
우리 둘 다 부끄러운가 보다

난 부끄러운 것보단
행복한 감정이 더 크다

고맙다 비야 우릴 붙어 있게 해주어서.

별

어두운 밤하늘에
너와 같이 반짝이는 별

어떻게 이 순간 너를 안지 않을 수 있겠니

그리운 바람을 기다리다
사랑이 깃든 숨을 마시면
내 머릿속엔 온통 너로 가득해져

해를 감춰야 보이는 달이
왜 너에게서 보이는 것이냐

너는 왜 밝고, 사랑스러운 것이냐.

너만 보여

눈 부신 햇살 아래
눈부신 너

흩날리는 벚꽃 사이에
이쁜 너

흰 눈 사이에
따뜻한 너

내 품 안에 있는
사랑스러운 너

너 밖에 보이질 않는다.

사랑은 아직

너를 보니

일렁이는 내 마음
울렁이는 내 속
이르고 싶은 내 속마음

이게 좋아하는 감정이란 것인가.

너의 한 마디

"잘 자"
한 마디에
잘 잘 수 있을 거 같고

"잘 잤어?"
한 마디에
잘 못 잤어도 잘 잔 기분이고

"맛있게 먹어"
한 마디에
맛있게 먹을 수 있을 거 같고

"오늘 하루 고생했어"
라는 말을 들으면
오늘 하루 한 것이 없어도 뿌듯하다

너의 한 마디 한 마디가 내겐
하루의 시작과 끝이다.

외면, 내면

나의 사랑이

네 외면에

사랑이 가득 묻어 있고

네 내면에

사랑이 가득 묻혀 있다

그 사랑은 모두
내 깊은 심연 속에서 나온 진심이다

부디 어디 흘리지 말고 다녀라

그 사랑은 너 밖에 받질 못할 테니.

따뜻한 것들

너를 만나러 간다

혹여나 네가 춥다고 할까 봐

따뜻한 목도리 하나
두르고
따뜻한 핫팩 하나
쥐고
따뜻한 캔 커피 하나
들고

너를 만나러 간다

네가 손끝 하나 추운 게 싫어
세상 따뜻한 마음도 챙겨 간다.

잔소리

날씨가 추워지니
따뜻하게 입어라

해가 짧아지니
어서 들어가라

내가 너를 좋아하니
알아주라.

건네는

아름다운 꽃 한 송이 꺾어
아름다운 너에게 주고 싶다

반짝이는 별 하나 따서
반작이는 너에게 주고 싶다

따끈따끈 해진 이 마음을
따뜻한 너에게 주고 싶다.

일상 2

좋아한다
매우 많이 좋아한다

항상 매일 네게 연락하고
항상 매일 네 생각 하고
항상 매일 네 걱정을 한다

그냥 내 일상은 네가 되었다.

그림

눈 뜰 하루하루가 기다려졌다
그리 같았던 네가
오늘은 어떤 그림이 될까

온통 새 하얀 눈에 덮인
하얀 세상처럼 흰 도화지에

따뜻한 선 하나하나가 생겨
사랑이란 그림이 그려졌다.

4글자

"수고했다."
"고생했다."

별 볼 일 없는 4글자가
내게 왜 이리 힘이 되는지
알다가도 모르겠다

"좋아한다."
"사랑한다."

별 볼 일 없는 4글자가
내 마음을 움직이게 하는지
알다가도 모르겠다.

커피 한잔

커피 한 모금의 여유 속에
네가 있음 얼마나 좋을까

일어나서 따뜻한 모닝커피 한잔
점심 먹고 시원한 커피 한잔

건전하게 너와 커피 한잔하고 싶다.

반한 이유

일하는 모습이 멋진 너
허둥대는 모습이 귀여운 너
진지한 모습과 장난스러운 모습들이
널 보는 관점이 달라지게 하고
너에게 더 빠지게 해줘.

카페

눈부신 햇살이 뜬
나른한 오후에
너와 가는 카페

노래가 나오지만
분위기는 고요한
카페

너와 수다를 떨면
이 카페엔 우리 둘만 있는 거 같다

신나며 잔잔한 팝송이 백색소음처럼
네 이야기에 더 집중되고

갈색 나무가 뒤에 있어
네 얼굴에 더 집중된다

카페

커피와 네가 있는 곳

카페

내가 가장 좋아하는 곳

카페

너와 같이 있고 싶은 곳.

봄이란 계절

상처가 많은 나를
상처 땜에 얼어붙은 내 마음을
사랑의 온기로 녹여주던 너

네 사랑의 온기 덕분에
내게도 봄이란 계절이 왔다

아직 겨울이지만
마음만은 봄.

목도리 2

내 평생 목도리를 가지고만 다녔지
두르고 다닌 적은 없었다

추운 누군가에게 빌려주려고
가지고 다녔던 목도리가
내 목에 감겼다

네가 감겨준 목도리가
세상 따뜻했다

내게 목도리를 감겨주고 있는
그 찰나의 순간에 네 표정은
너를 향한 내 마음보다 따뜻했다

그렇게 따뜻한 표정과
그렇게 따뜻한 목도리는
이제 다신 없을 거 같다

목도리

항상 챙겨 다녀야겠다
물론 널 만날 때만.

네 생각 2

봤지만 또 보고 싶다
내일도 보고 싶고
매일 보고 싶은 사람

내 눈에 계속 아른거려
또 보고 싶은 사람

무엇을 하고 있을지
항상 궁금한 사람

밥은 먹었는지
걱정되는 사람

지금 이것을 보고 있는
'너'

너

외로운 가을날

단풍보다 붉게 내 마음을
붉게 물들게 해준 '너'
따뜻한 햇살보다 따뜻한 '너'
꽃이 안 보일 정도로 이쁜 '너'
강아지 옆에 있어도 귀여운 '너'
내 곁에 있으면 사랑스러운 '너'

가을이지만 따뜻하다.

비로소

축축한 빗길을 지나
차가운 눈길을 지나
고난과 역경을 견뎌
세월이라는 피할 수 없는 것이 지나
성숙이라는 보상을 얻고

비로소 네게 도착하겠다.

3부

겨울

녹는다

눈이 녹아 물이 되듯
내 마음이 녹아 물이 됐다

얼어 버릴 듯했던 심장이
너무 차가워 만지는 게
두려웠던 내 마음이
너를 만나 녹았다.

눈사람

추운 겨울날
쓸쓸히 혼자 있는 눈사람

혼자 있는 모습이 짠해
목도리 하나 걸쳐준다

눈사람아
봄이 오면 녹아 없어지거라
그것이 너의 평온이고 행복일 것이다.

은둔

새하얀 눈으로 덮인 길
뒤를 돌아보니 쓸쓸한 발자국이 보이고
투명한 빙판엔 초라한 내 모습이 비친다

눈아 더 많이 내리거라
더 많이 내려
내 쓸쓸한 발자국과
초라한 날 비춰주는 빙판을 가려 주거라

올겨울 내 마지막 소원이다.

겨울 같던 너

많이 사랑해서
많이 힘들었다

겨울보다 추운 네 곁에 있으려니
내 마음이 천천히 얼어갔다

얼음보다 차가웠던 사람
얼음보다 차가웠던 사랑

흰 눈이 내 마음에 서서히 쌓이기 전에
누가 내게 와서 따뜻한 난로 하나 가져와
봄처럼 눈 좀 녹여주렴.

흰 눈

흰 눈이 펑펑 내리던 어느 날
펑펑 울고 있는 날
새하얀 눈길 위에
슬픈 발자국만 남기고 떠나간 너

겨울이 지나 봄이 오듯
따뜻한 봄이 되어 다시 돌아와라
눈사람보다 차가운 사람아

그때까지 이 시린 시련을 견디고 있겠으니.

겨울

넌 어쩜 웃는 모습이 그리 슬픈 거니
세상 빛을 다 가졌음에도 어두워 보이니
따뜻한 이불 속에 있는데도 추워 보이니

아..

거울이구나..

핑계

핫팩 하나 쥐고
덜덜 떨며 힘들게 도착한 곳은
다름 아닌 너의 집 앞

보자는 게 아니다
나와달라는 게 아니다

그냥 우연을 가장한
만남이 있길 바라는 것일 뿐이다.

12월 25일

산타 할아버지 저희 집에는
안 오셔도 돼요

그녀를 쓰며 우리를 완성하며
흘린 눈물이 너무 많아
선물은 물 건너 갔거든요

게다가 필요한 선물 따윈 없어요

그녀가 준 선물이 아니면
그녀가 돌아올 게 아니면
무엇을 주던 다 필요 없어요.

첫눈 소망

첫눈이 내리는 날에
너를 보러 가고 싶다

너와 첫눈을 맞으며
사랑을 약속하고 싶다

그만큼의 낭만이 또 어디 있겠는가

물론 내 바람이고 내 소망이지만.

초겨울

햇살은 따뜻하지만
온기는 차가운
초겨울

오늘도 너를 쓰기 위해
카페로 걸어간다

걷는 도중 나뭇가지에서만 보이던
낙엽들이 이젠 바닥에서 보인다

자기 할 일을 다 끝내고
바닥에 떨어져 있는 낙엽을 보며
많은 생각이 든다

나는 내 할 일을 끝내지 못했는데
난 왜 바닥에 있는가

너에게 사랑을 주지 못 했는데
난 왜 바닥에 있는 걸까.

겨울이 온다

옛사랑의 상처가 아직도 남았다면
바닥에 버리거라
하늘에서 내리는 눈물이
차갑지 못해 얼어
바닥에 쌓일 테니

그렇게 감추면 된다
잊지 못할 거면
버리지 못할 거면
눈에라도 안 뛰는 게
좋지 않겠니

슬픔이 아직도 남았다면
눈 속에 파묻어라

봄이 오면 같이 녹아
사라질 테니.

나뭇가지

낙엽이 머문 나뭇가지에
흰 눈 꽃이 피었다
바람이 흩날리면 떨어질 거 같은
흔들림 한 번에 떨어질 거 같은
눈꽃

햇빛에 반사되는 겉면 얼음 덕분에
더 이뻐 보인다

봄이 지나면 사라질 눈 꽃이
바람 한 번에 흩어지는 눈 뭉치가

마치 나 같다
네 한 마디에 떨어진 나..

겨울이 열린다

마지막 계절이 열린다
비가 아닌 눈이 오는 계절

겨울

가을보다 더 외롭고 추운

겨울

마냥 반갑지는 않구나
첫눈이란 기대와
크리스마스라는 더욱 외롭게 만들어 주는
기념일이
그냥 슬프기만 하다

햇살이 따스했던 봄날에
첫눈을 보자 약속하던 넌 어디 갔고
난 왜 첫눈을 나 홀로 맞이하는 것일까

봄부터 기대하던 약속이
눈 녹듯 사라졌고
기대감은 눈물이 되어 떨어져
눈이 되었다
이 미련한 마음이 봄이 되면 녹을까
이 아픔이 눈 속에 파묻혀 보이지 않을까
이 상처가 차갑지 못해 얼어붙진 않을까

봄이란 사랑이 내게 다시 올까
아님 겨울이란 후유증이

내년의 봄이 와도 남을까.

낙엽

낙엽이 떨어졌다

낙엽 위에 눈이 덮였다

눈 위엔 내 발자국이 남겨있다

쓸쓸한 내 발자국 위에
덮일 무언가는 없어 보인다

내 눈물 외엔

걷는다

수북이 쌓인 눈 길에
외로운 발자국들

수북이 쌓인 눈 길에
외로운 한 사람

저벅저벅 앞만 보고
걷는다

눈이 오든 눈이 녹든
상관하지 않고

너를 향해 걷는다
그냥
네 얼굴 한 번 보고 싶어
걷는다.

눈물

내 눈물샘이 터진
춥지 못해 차가운 겨울날

내 눈물이 얼어
눈 결정이 되어
내 손바닥에 떨어졌다

결정은 이쁜데
만들어진 과정은 아프구나.

4 부

나
의

시

작가가 된 이유

바람이 고요하며
쌀쌀해진 새벽에
흰 공책에 글을 써본다

할 말은 많지만,
아직 사랑하는 감정은 크지만
너에게 전할 용기가 없어
마음이 답답해
글을 쓰며 애써서 달래본다

직접 전 할 용기가 없어
먼 훗날
대중들에겐 시집
너에겐 편지가 되는 책으로 전할 테니
네가 꼭 봐줬으면 좋겠다.

어쩌다

이 슬프고 슬픈
감정을 털어놓을 곳이
하얀 백지밖에 없었다

한 장 한 장
끄적이다 보니
이렇게 되었구나

쓸 땐 책
읽을 땐 내 감정 덩어리.

노을

내가 펼쳐야 보이는 사람아
이름 하나, 얼굴 하나 기억나는 사람아

동쪽 하늘에서 눈부시게 올라오는
일출처럼 만나 반가웠고
보아서 행복했다

언제 볼 수 있을지 모를 사람아
목소리 하나, 웃는 얼굴 하나
내 머리에 남겨주고 간 사람아

서쪽 하늘로 서글프게 내려가는
일몰처럼 배웅해 아쉬웠고
보내서 슬펐다.

한숨

담배 한 모금
한숨 한 번
또
담배 한 모금
한숨 한번

이렇게라도 네가 지워지면
건강은 상관하지 않을 거다.

이미 정신건강은
무너졌으니...

용기

"보고 싶었다."
"그리웠다."

차마 전하지는 못하겠다.

널 그리워하는 마음은 이리도 큰데
너에게 전할 용기는 왜 이리 작은 걸까

왜 마음은 용기와 비례하지 않는 걸까

왜 나는 너를 사랑했을까.

장마

장마는 비가 오래 와서 좋다
비 냄새도 좋고
날씨가 흐린 것도
심지어 비를 맞는 것도 좋아
감기에 걸려도 괜찮은데

내 마음은 슬픔이 오래가서 싫대.

술

보고 싶어서 한 잔
그리워서 한 잔
마시다 보니
벌써 동틀 녘

네가 사라지니
내 곁엔 늘 술이다

술 때문에 힘든 건지
힘들어서 힘든 건지
아님
너 때문에 힘든 건지…

전화

네 목소리가 듣고 싶어
전화를 걸어보고 싶었다.
너에게 전화를 걸려 하면 항상 두렵다.
받지 않으면 어떡하지?
네 목소리가 아닌
자동 응답기의 목소리가 들리면 어떡하지?
하며 고민을 하다
용기를 내어 걸어본다

역시는 역시구나
정 없는 자동 응답기 목소리가 들리고
너의 전화 기록엔 빨간 내 이름이 뜨겠구나.

영월호

내 눈물 한 방울
달의 눈물 한 방울들이 모여
호수 하나가 만들어지고

내 슬픔, 내 그리움으로 만들어진 달빛에
비친 슬픈 영월호는

그저 사람들에겐
이쁜 호수로 보이겠지.

빗물

우산도 쓰지 않은 채 빗길을 걷는다

주위에 있는 나무와 건물 등이
젖는 모습을 보며 계속 걷는다.

이러면 내 눈을, 내 마음을 적신 게
눈물인지, 빗물인지 모를 테니.

가을 타나 봐

옹기종기 신나게
북적거리는 사람들 사이에 있어도
가을을 타는 것인지
너를 그리워하는 것인지
모르겠지만

따뜻한 분위기 속에서
내 마음은 차갑다.

시

'시'
나의 감정을 함축적으로
담아낸다는 게
아직도 잘 모르겠다
이 많은 아픈 감정을 어떻게
짧게 표현해야 하는지
아직도 어렵다

나는 그냥 너를 쓰는 것일 뿐인데
사람들은 '시'라고 부르네.

하늘은 좋겠다

내 마음도 하늘처럼
맑음이란 날씨가 있을까?

아무리 시간이 지나도
흐림이란 날씨와
장마라는 날씨밖에 없는데

내 마음에 해는 언제 뜨고
별이 보일까

하늘은 좋겠다, 좋아서.

보이고 보이지 않고

넌 저 위에 별과 같이 있구나
난 저 아래 심연 속에 있다

나는 네가 보이지만
너는 내가 보이지 않겠구나

넌 반짝이고 있는데
난 어둡기만 하다.

망상

사랑을 할 순 없어도
그리울 순 있는 건 아닐까

네가 보이지 않아도
보고 싶을 순 있진 않을까

네가 돌아오지 않아도
기도는 해볼 수 있는 건 아닐까

현실을 도피하고 싶어
망상을 해본다.

소망 2

잠들기 전 기도를 해본다

그녀가 잘 잘 수 있게 해주세요
그녀가 좋은 꿈을 꿀 수 있게 해주세요
그녀가 제 꿈에 나오게 해주세요

그녀가 아침에 제일 먼저 하는 일이
제게 연락을 보내는 거였으면 좋겠어요.

어찌 할까

떠나서 슬픈 사랑이 있었습니다
헤어져 보고 싶은 있었습니다

서쪽 하늘에 핏빛으로 물들어
내려가는 노을보다 그리운 사람아

늦가을에 떨어지는 단풍잎보다 슬픈
내 마음을 어떻게 해야 할까요?

봄을 기다리긴 겨울이 남아있고

겨울을 버티기엔 네가 없다.

날씨=너

비가 온다
비를 맞는다
네가 온다
너를 맞이한다

하늘에 해가 떴다
밝다
나에게서 네가 떴다
어둡다.

말도 안 되는 소리

덜 사랑해야
덜 힘들다는 얘기가 있다

그럼 뭣 하러 사랑을 하려 하나

세상에 안 힘든 게 어디 있고
덜 사랑하는 게 어디 있느냐

이유가 생겨 좋아하고
좋아해서 사랑하는 게
당연한 게 아니겠느냐.

둘 중 누가

저 멀리서 들리는 진심이 담긴 염원의 소리
저 멀리서 느껴지는 슬픔이 담긴 울음소리

분명 멀리서 들리고 느껴지는 것인데
왜 나에게서도 들리는 것일까

다 지난 일인데
이젠 주워 담을 수 없는 것인데

나는 무엇을 바라고
나는 무엇 때문에 울고 있을까

저 사람도 나와 같을까
아니면 내가 저 사람과 같은 것일까..

권태기

책장 앞에 서서
한참을 고민한다.

무엇을 읽을까
오늘은 읽지 말까

결국 한 권을 골라 읽어보니
눈물이 담긴
진심이 담긴

내겐 일기장
대중들에겐 시집
네겐 편지

이젠 누굴 위해 쓰고 있는지 잘 모르겠다.

"11월 11일"

우정과 사랑을 나누는 날

유치하지만
너에게 빼빼로 하나 선물을 해본다
우정이 아닌 사랑으로서

"11월 11일"

우정과 사랑을 나누는 날이 아니라
사실
우정과 사랑을 구분하는 날이 아닐까.

나의 시

눈물을 잉크로 삼아
슬픔을 붓으로 삼아
한 글자 한 글자
내 염원이 들어있는 낡은 일기장

일기장이지만 감정만 가득 들어있는
감정 보관소
그 감성이 비로소 시가 된다.

나에게 쓰는 시

황혼 무렵 저 멀리 바라보여
걷는 중
핏빛으로 물들어 내려가는
노을을 보며 비로소
내 하루를 끝낸다.

하루를 견뎌내
수고했다.

슬픔을 견뎌내
고생했다

오늘은 아무 생각 말고 편히 자거라.

나의 감정들

보고 싶다
보고 싶었다
보고 싶을 거다

웃는 네 얼굴이 아직도 내 눈가에 아른거리고
네 목소리가 아직도 내 귓가에 맴돌아서
너를 안았던 게 아직도 느껴져서

너를 잊기엔
네가 너무 선명하다.

사랑한다
사랑했었다
사랑할 것이다

나의 취미

여우비가 살살 오는 날은
창문 한 칸 열어놓고
비 냄새를 맡으며
시집 하나 읽는다

비를 감상
책을 감상

비가 오는 날은
내 마음이 젖는다

날씨가 흐려서 그런 건지
그냥 우울해진다.

따뜻한 커피와
시집 하나 읽으면

내 마음이 따뜻해진다
내용이 아무리 슬플지라도..

네 시선

몇 년 만에 본 너
아직 옛날의 감정에 잡혀있는지
보자마자 내 심장은 요동친다.

주마등이 스쳐 가듯
옛날의 기억이 스쳐 가고

너는 아리송한 얼굴로 날 쳐다본다.
너무 빤히 쳐다보지 마라
부끄러우니.

힘든가요

힘든가요
나보다 더

힘들까요.
내 마음 보다 더

하루하루 그녈 생각하며
사는데

힘든가요
힘들까요

다시 되돌리기..

답안

예전 그 모습 그대로
예전 그 감정 그대로
돌아가긴 힘든가요

내 마음은 그때 그대로 있는데
그녀는 아닌가 봐요

이렇게 다시 못 만나고 있으니

물어보지 않아도 이미
답은 들었네.

자리

낙엽이 머문 자리에 바람이 머물다 가고

바람이 머문 자리에 눈이 머물다 가고

눈이 머물다 간 곳은 벚꽃이 머물다 가고

내 곁에 머물다 간 넌 어디론가 가고

네가 머물고 간 자리엔
추억이 머문다.

여행인 도망

그냥 멀리 혼자 어딘가 가고 싶다

어디든 좋으니
멀리

모닥불 하나 피워
멍 때리기 좋은
캠핑도 좋겠고

푸른 바다를 보며
긴 기다림이 있는
낚시도 좋겠다

말은 여행
행동은 도망인
여행.

타이밍

조급했던 건지
느긋했던 건지
타이밍을 놓쳐
너를 놓쳤다

인생과 선택은
타이밍인데

나는
인생의 선택을
잘 못했구나

너는 내 일상이었고
너는 내 세상의 전부였다.

영감

이별이 필요하다
정신 나간 소리 같겠지만
나는 영감은
내 슬픔에서, 너에게서 나오기에

나는 이별(너)이 필요하다.

보고 싶지 않아

내가 흘리는 눈물은 괜찮지만
그녀가 흘리는 눈물은
내 울음을 더 보챈다

울지 마라
네가 울면 내 마음이 더 아프다

빗 물아 빗 물아
눈물인지 빗 물인지 모를 만큼
그녀의 눈물을 씻겨 주렴

태양아 태양아
내가 눈물을 보지 못하게
그녀의 눈물을 말려주렴.

유서

따뜻한 온기가 머물고 간 자리
뜨거운 온기가 머물고 간 자리
쌀쌀한 온기가 머물고 간 자리
차가운 온기가 머물고 간 자리

봄, 여름, 가을, 겨울
모두 머물고 간 자리에
내 묫자리를 해주렴

그늘이 져도 좋다
잡초가 많아도 좋다

그냥,
가끔 와서 안부만 들려주고 가렴.

봄을 원하는 가을

날씨가 쌀쌀해진 탓인지
내 마음에도 가을이 온 듯하다

이유 없이 외롭고
이유 없이 무기력하다

쌀쌀해진 가을엔
따끈따끈한 어묵 국물에
소주 한잔 마시면
내 마음엔 봄이 온다.

공허

별다를 거 없다
원래 내 일상이었고
원래 내 모습이었다

그냥 작은 틈 안에
네가 들어왔었을 뿐

네가 떠나갔다고
내 전부가 사라진 건 아니다

분명

이렇게 아니라고 생각하는데

왜 내 전부가 사라진 느낌이 나는 걸까.

낙

이어질 순 없어도
좋아할 수 있고

만날 순 없어도
보고 싶을 수 있잖아

그것조차 못 하게 한다면
나는 어찌 살아갈까

모든 취미가 재미가 없고
모든 사람들도 재미가 없는데

나는 무슨 낙으로 사니.

과거로

남들이 우릴 부러워하던
그때로 돌아가면 얼마나 좋을까

남들이 연인처럼 본
그때로 돌아가면 얼마나 좋을까

만났던 기차역
같이 먹었던 점심
내가 못 뽑아준 인형
함께 봤던 영화
널 배웅했던 정류장
모든 게 그립다.

과거로 돌아간다는 것은
매우 좋은 거라 생각한다.

네가 있는 시간과 장소라면..

윤슬 2

달빛에 비친
윤슬이 오늘따라 슬퍼 보인다

햇빛이 아닌 달빛에 비쳐 그런지 몰라도

이뻐 보여야 하는 윤슬이
오늘따라 처량해 보인다.

새벽

자욱한 안개가
나를 감추고

쌀쌀한 공기가
나를 춥게 만들고

고요한 새벽이
나를 슬프게 하고

환한 달빛이
나를 위로해 준다.

봄

눈이 머물고 간 자리
벚꽃이 머물다 가겠지

눈이 머물고 간 내 마음
누가 머물고 갈지
누가 이 눈을 치워줄꼬

과연 내게 봄은 오는지.

단추

처음 만나 설레던 마음은
어디 가고
처음 만났던 때로 돌아가고 싶은
마음만 있는 걸까

첫 단추가 중요하다고
첫 만남은 매우 좋았는데
끝은 왜 이런 걸까

첫 단추를 잘 못 끼웠었나.

위로

괜찮다
괜찮을 거다
괜찮아질 것이다

시간이 해결을 못 해준다 해도
누군가 무언가가 해결해 줄 것이다.

나에게 쓰는 시 2

'이별'

참 잔인한 단어
듣기만 해도 마음이 아픈 단어
받고 싶지도 않은 단어

극복하면
성숙해지고
성장하겠지만

그 시절, 그 시간에 머물고 있으면
사람 인생이 얼마나 비참해지는지
비로소 느꼈다

시간도 해결 못 해준다면
견뎌라, 버텨라, 노력하거라
사람 한 명 때문에
사람 인생 하나가 무너지기엔

앞으로 살면서 다가올 시련에 절반도
안 되는 일이다
앞으로
얼마나 많고, 힘든 시련이 올 텐데
이별이 뭐 대수라고 이미지, 건강을 망치려
하는가

이별, 그냥 후유증만 남는 시시한 정신병일
뿐이다.

나의 시

너에게 쓰는 시
네가 찔렸으면 하는 시
네가 봐주길 바라며
죽어라 울면서 썼다

하지만 시는 내 감정을
표현하기엔 너무 짧아
내가 쓰는 시는
그냥,
내 감정 쓰레기통이다.

가을 2

춥다가도 더워지는
변덕스러운 가을

가을은 어린아이도
아닌데
변덕이 왜 이리 심한 것일까

날씨도 사람도 한결같을 순 없겠지만
적당이라는 선이 있듯이

한결같아 주라
나는 상관없지만
그녀가 불편해할 수 있으니..

나비효과

네가 일으키는 작은 바람이
내겐 태풍처럼 크게 불어온다.

너의 별생각 없는 행동이
나의 하루가 바뀌고

너의 말 한마디에
내 기분이 바뀌어.

우울증

늘 직업 특성상
우울해야 한다고
장난 식으로 말했던 내가
진짜 우울이란 늪에 빠질 준 몰랐지

늪에서 허우적 될수록
더 깊숙이 내려가고

누가 내 발목이라도 잡은 듯
여전히 나오지 못하고 있다.

2023/11/26 - ing

겉모습

내 슬픔을 빚고 빚어
달을 만들고

내 우울을 빚고 빚어
별을 만들었다

수많은 별들 속에서
빛나는 달

만든 재료가 어둡지만
보이는 모습이 이쁘면 된 거 아닌가.

변화

행복이었던 너의 목소리가
점점 슬퍼져 듣기 싫어졌다

예쁘고 밝은 목소리가
어둡게 들린다

네 위로 한마디에
모든 걱정이 사라졌지만

이젠
너의 괜찮냐는 한마디가
내 슬픔에 부채질처럼 느껴졌다

내가 떠나가겠다.
내가 나쁜 놈처럼 사라지겠다

너는 이제 내 행복이 아니라
내 불행이다.

할 일

네가 떠나간 후로
행복이란 단어가
흐려져 간다

너무 힘들게, 바쁘게 살아
행복이란 단어가 잊힌다

이젠

행복이란 무엇일까 생각하며
찾아다녀야겠다

물론 찾아다니는 것도
힘들고 바쁘겠지만.

꺼진 화로

너무 오래 좋아했나 보다
내 마음의 화로가 점점 식어간다
불을 다시 피울 장작도 없다

작게 숨 쉬는 불꽃마저
물을 부어 끄고 싶다

연기만 잔뜩 올라와
내 눈이 따갑고
앞이 보이지 않는다

내가 나가는 게 빠르겠다

꺼진 화로는 누군가 와서
피워 주겠지.

사라짐

나의 진심이 한순간에 사라졌다

나의 마음이 한순간에 조각나 버렸다

나의 꿈이 연기처럼 날아갔다

나의 사랑이
다가가지도 못했던 사랑이
멀어졌다.

불면증 2

해가 떨어진 줄도 모른 채
네 생각만 하다
밤이 찾아오고
너에게 다가갈까 말까 하다
새벽이 찾아온다

쌀쌀하고 쓸쓸한 새벽에
자는지 물어본다

대답이 없는걸 보니
너는 자고 있나 보다
나는 너 때문에
잠에 들지도 못하는데.

깨달음2

몰랐었는데
알 것도 같다

이유를 되새기고 되새기다 보니
내가 보지 못한 관점이
점점 생기더구나

나는 달을 볼 때
넌 나를 보고 있고
내가 앞을 볼 때
넌 내 뒷모습만 보았구나.

시점

내가 달을 볼 때
너는 별을 보고

내가 숲을 볼 때
너는 나무를 보고

내가 바다를 볼 때
너는 물고기를 보고 있었다

이 정도로 우리는 다르다
이제 인정하자
우린 아니란 것을
관점 자체가 다르다는 것을.

취미가 직업으로

따뜻한 햇살이 커튼 사이로 비치고
편안한 흔들의자에 몸을 기대어
손바닥만 한 시집 한 권 읽다
졸릴 무렵 커피 한잔 마시고
다시 의자에 기대어
책을 읽는다

생각이 많을 땐 머리를 비우는 것보단
다른 생각으로 채워지는 게 좋다 생각해
옛날부터 생긴 내 취미 생활
네가 만들어 준 취미 생활

글자 하나하나가 내 마음을 흔들고
단어 하나하나가 내 눈물샘을 건들지만

이만큼 건전한 취미가 어디 있겠는가

비록 취미가 직업이 됐지만..

사랑, 사람

길거리에 널려있는 꽃들이
마냥 이뻐 보이진 않는다

사랑처럼 보면 이쁘지만
저 꽃들도 언젠가 저물겠지

평생 영원토록 가는 건
아무것도 없더라

사랑도 사람도.

말거라, 말하거라

잘 지내라고 하지 말거라
잘 지내자라고 말하거라

고마웠다고 하지 말거라
고맙다고 말하거라

글자 하나가 우릴 갈라놓을 수 있고
붙여 놓을 수 있다는 것을 알고 있으 거라

네가 말하는 과거형은 몹시 싫구나.

샘물

봄날의 내 마음 샘은
물이 가득 찼고

여름날의 내 마음 샘은
메말라 갔고

가을날의 내 마음 샘은
낙엽에 덮였고

겨울날의 내 마음 샘은
얼었다

봄에 가득 찼던 샘물이
계절이 지나갈 때마다
사라져 같다.

모름

비가 떨어지듯 오는 날
우산 없이 저벅저벅 걷는 나

감기가 걸려도 좋다
옷이 젖어도 좋다
내가 우는 것을 모르기만 하면 된다

모래성

너의 상처가 아물고
새로운 살이 돋아
단단해지고 차가워졌다

그렇게 단단한 줄 알았던 내 마음이

네 연락 하나에 모든 게 무너졌다

다시 돌아보지 않으려 애를 썼고
다시 흔들리지 않으려 다짐했지만
감정은 머리와 같지 않더구나

너의 뜬금없는 연락에 잠이 깨었고
오랜만에 본 네 얼굴에 심장이 뛰었다

뇌는 속여도 마음을 속일 순 없더구나.

봄이란 계절

상처가 많은 나를
상처 땜에 얼어붙은 내 마음을
사랑의 온기로 녹여주던 너

네 사랑의 온기 덕분에
내게도 봄이란 계절이 왔다

아직 겨울이지만
마음만은 봄.

꿈

오늘도 어김없이 네가 나왔다

예지몽이 아닌 과거의 일이 일어났다

꿈에서 나는 또 네게 차였다

친구로 지내자는 말이
내 머릿속으로 심각했지만
내 마음까지 닿았을 줄이야

뇌 보다 깊은 곳은
마음이란 걸 오늘 또 깨달았다.

사계절

모든 계절이 나를 깎았다

봄은 나의 기대를 꺾었고

여름은 나를 말렸고

가을은 나를 외롭게 만들었고

겨울은 나를 춥게 만들었다

계절마다 깎인 내 마음이
내년에도 깎일까
더 이상 깎일 것도 없을 거 같은데...

이슬

창문에 맺힌 이슬 한 방울이

동틀 녘 잔디에 맺힌 이슬 한 방울이

내 눈가에도 맺혔다
이젠 그만 울 때도 됐지만
어찌할 수 있겠나
눈물과 기침은 숨길 수 없는데 말이지.

멍청이

네 얼굴을 보자 내 마음이
붕 뜬 건지
아님
바닥으로 푹 꺼진 건지

심장이 아프듯 속이 아프다

나를 뒤도 돌아보지 않은 채
떠난 너인데
내가 멍청한 것인지
너를 볼 때마다 이런다

참 미련하다.

한 해

'2023년'
한 해 동안
빛 한 줄기도 보이지 않았다
신이 나를 버린 듯이
나의 소원은 이루어지지 않았고
사람들이 나를 버린 듯이
외로움을 많이 탔고
아홉수 때문인지
내게 안 좋은 일만 일어났다

'2024년'
내년에는 저 상황들이 모두
반대로 일어났으면 좋겠다

'2023년'
1년 동안 너를 찾아 헤맸고
1년 동안 너를 쓰고 나를 썼다

일기장 같은 시가

일기장 같은 에세이가
나의 꿈에 한 발자국 내미는
발판이 되었으면 좋겠다.

버킷리스트

내가 만약 당장 죽어
귀신이 된다면
성불은 물 건너 갔다

2023년 동안 이루지 못한 게
이루어지지 않았던 사랑이
몹시 한이 되었다

시작도 못 했던 사랑이
시작은 못 했지만 건네본 사랑이
이리 한이 될 줄이야

지금 그녀가 다시 와도
아물지 않는 상처 때문에
이미 지나버린 과거이기에
받을 수 없는 이유가 생겨
한은 풀지 못하겠다

새로운 2024년엔

새로운 사람을 만나
새로운 경험을 쌓아

생각이 나지 않을 만큼
행복해져 보자
나의 첫 번째
버킷리스트.

나에게 쓰는 편지

5년이란 시간 동안 했던 것을
그만두고 무엇을 할까 막막했다

할 줄 아는 것이라곤
책 읽기와 운동밖에 없었거든

다행이라 생각해야 될까
너에게 상처를 입고
그 상처를 글로 털어내곤 했다

아픔을 버릴 수 있는 유일한 수단이
본업으로 바뀔 줄 누가 알았겠나

내용을 슬프지만
나는 슬픔을 내 감정을
쓰는 게 너무 행복했다

남들은 그냥
아픈 곳에 소금 뿌리기로 봤겠지만
그 소금이 내게 약이 될 준 나도 몰랐지

고맙다 나의 유일한 치료법을 알려주어서
나의 다른 길을 열어 주어서

이 글을 쓰고 있는 지금도
고맙게 생각한다

어둠만 있던 나의 미래에
한 줄기의 빛을 만들어 주어서.

심연

어둡고 어두운 내 마음
심연보다 더 깊어
빛 한 줄기도 보이지 않는 내 마음

깊은 곳에 발이 묶이고 몸이 묶여
허우적거릴 수도 없다
어둠은 더 짙어져 가고
나는 더 지쳐만 간다
이를 어찌해야 하나
나에게 빛을 보여 줄 사람은 없는 것인가
저 어두운 우주조차 밝지 못해 뜨거운 태양과
반짝이는 수많은 별이 있는데

내 머릿속과 마음이 더 어두워져 간다
세상도 어두웠으면 그러려니 있을 텐데
이 어둠 속을 벗어나면 빛이 있는 것이 모자라
온 세상이 빛으로 찬란할 텐데

나는 언제쯤 벗어나고 빛을 보며

너 없는 나는 찬란해질까.

후회

누군가를 좋아했던 게
과연 후회로 남을까

정녕 본 모습을 보지 못했단 한들
어떤 행동에 호감을 가졌고
어떤 점에 좋아했던

지금은 끝난 관계여도
그 순간만큼의 감정이
진심이었으면 된 거 아닐까

그럼 후회도
흑역사로도 안 남지 않을까.

알았다

눈이 내려 겨울이 왔다는 것을 알았다

달이 떠 밤이 왔다는 것을 알았다

눈물이 흘러 이별이 왔다는 것을 알았다.

생각 없이

아무 생각 없이 구름을 보고
아무 생각 없이 불을 보고
아무 생각 없이 지나가는 사람들을 본다

생각이 어디 갔는지
알고 싶지 않다

그냥
아무 생각 없는 지금 이 순간을
즐기고 싶다.

전화

받지 않는 전화에
나는 더 슬퍼진다

사정이 있어 못 받는 건지
아님
그냥 받지 않는 것인지

의미 없는 연결음이
슬픔을 보채고

난 스스로 상처를 남기고
넌 다시 누르지 않을
부재중이 떠 있겠구나.

고민

비가 내리는 건지 안 내리는 건지
우산을 챙길까 말까
밖을 나갈까 말까
너에게 있는 곳으로 가
우연인 척 만날까 말까

오늘따라 선택을 못 한다
내 마음이 혼란해서 일까.

낙원

지상에서 천상의 낙원으로
갈 수 있다면 얼마나 좋을까

네가 없는 곳이긴 하지만
내 걱정과 고민은 너로부터 나오기에
이젠 사랑이 아니라 고통이기에
천상의 낙원으로 가고 싶다.

직업 힐링

아무 생각 없이 바다에 와
고요하고 아늑한 카페에 앉아

너를 생각하며 글을 쓴다

무슨 바다까지 와서 글을 쓰냐 하겠지만

글을 쓰고 싶어
힐링을 하고 싶어

계획 없이 온 것이다

이것이 지상낙원인 것인가

바다, 카페, 책
내가 좋아하는 것이 이곳에 다 있으니
이것이 정녕 지상낙원 아니겠는가.

버림

바다에 온 김에 다 버리고 가자
너에게 받은 상처,
너에게 남은 미련
너에게 주고 싶었던 사랑마저
다 버리고 가자

파도에 밀려 다시 못 오게끔
저 멀리
저 깊숙이 버리고 오자

그럼 한결 편안해지겠지.

바다 여행

문득 바다가 보고 싶어
계획 없이 왔다

일렁이는 파도
자유롭게 날아다니는 새들

모래를 가지고 노는 아기들

해변가를 걷고 있는 사람들 속에
나만 외롭게 홀로 걷고 바다를 본다

거치지만 잔잔한 파도처럼
네가 내게 왔으면 좋겠다
그럼 안 밀리고 안아줄 자신 있는데
나는 파도를 맞을 준비
너를 맞이할 준비가 되었는데
바람이 불지 않아서인지
파도도 치지 않고
나만 지쳐간다.

사라지다

가끔 죽고 싶다기보단
먼지처럼 연기처럼
사라지고 싶다

아무도 날 볼 수 없고
찾지도 말고
나만의 시간을 가지고 싶다는 생각에
이리 도망쳐 왔다

기껏 온 곳이라곤 바다이지만
저 파도는
저 바람은
계속 내게 불어온다
내가 가만히 있어도
내게 불어오는 바람이랑 파도가
마냥 반갑기만 하다.

날씨 2

흐리고 흐린 날씨
어둡고 어두운 구름 사이에
한 줄기 햇빛

그 한 줄기 햇빛처럼
내게도 빛 한 줄기만
생겼으면 좋겠다

그럼 희망이라도 가질 텐데.

바다

겉모습은 거치지만
더 깊은 곳을 바라보면
잔잔한 호수 같은 바다가
마치 내가 보는 너다

겉으론 아닌 척 싫은척하며
결국 수긍하는 고집 꾸러기 같은 모습이
마냥 귀엽기만 하다

마음 깊숙이
머리 깊숙이
털어내지 못하는 진심을 듣고 싶다
나직이 울리는 네 진심에 상처를 입어도 되니
한 번만 들어보고 싶다.

정답

내가 할 만큼 했다 생각했다면
그게 정답이다

정답은 본인만 알고 있는 것이다

지나간 인연이 상처를 주고
다시 내게 불어오면 가만히 있어라
우린 할 만큼 했었으니

오면 곁에 두고
가면 떠나보내라

그것이 정답이다.

해변 2

해변 모래 위에 남겨진
외로운 내 발자국이
파도 한 번에 사라졌다

인생도 그런 거 같다

결국엔 사라질 거
너무 연연하지 말거라
언젠가 지워질 거고
더 성장하는 발판일 뿐이다

그러니 사람 한 명에게 너무 연연하지 말거라
나처럼..

내년

1년이란 시간 동안 너를 쓰고 지웠다
내 감정은 심연보다 깊고
신에게 기도할 때보다 진심이었다

하지만 아직 내 실력으로는
글로 표현할 수 없다는 게
답답했다

더 많이 배우고 익혀 나직이 울리는 내 마음을
글로 포장해 시에게 선물하겠다
기다리거라 내년아.

바다

바다에 와 하루 종일 책을 읽고
글을 쓴다

이만큼의 나의 힐링은 없다

햇빛에 비춰 이쁜 윤슬과
잔잔하고 따스한 카페에 앉아
맛있는 커피 한 잔에
시집 한 권

이만큼의 지상낙원이 있을까
감히 말하면 네가 없어도 될 만큼
편안하다.

너=꽃

예쁜 꽃을 보면 네가 생각난다

분홍빛 흩날리는 꽃이
내 마음 같기도
너를 보는 내 시점 같기도 하다

하얀 눈꽃이 녹고
분홍 벚꽃이 피어난 봄
그 시절의 우리
분홍빛이 찬란할 줄 알았다

나는 그저 봄을 원했을 뿐
이별은 원하지 않았다.

나 혼자 살기

내가 나를 믿고
내가 나를 키우자

이미 많은 사람들에게 상처를 입었고
그 상처는 아물기는커녕
더 깊어만 간다

우정, 사랑의 관계에서
받은 상처가 나를 심연으로 빠뜨려
관계라는 허무한 것이
나의 발목에 감겨
나오지도 움직이지도 못했다

이젠 현생을 받아들여
관계라는 줄기를 내 손으로 끊어내
지상으로 나와 세상에 나가 보자
모든 게 부정적으로 보이고
나 자신은 어둑한 구름이 낀듯
한없이 어두워 보여도

나 자신만 믿는 것이다

이젠 누굴 따라야 하고
누굴 믿어야 하는지 혼동이 와도
처음으로 돌아가
모든 게 달라지겠지 하며
나 스스로 새로운 인생을 찾자

사랑이란 부질없는 감정을 버려
더 가볍게 살아보자
관계라는 단어에 얽매이지 않고
더 가볍게 살아보자.

5 부

짝 사 랑

짝사랑

"좋아한다."
몇 년 동안 내 마음은
널 향해 있었다

네 걱정에 연락을 보내고
네 생각이 나서 연락을 보냈다

늘 내가 먼저 연락을 보내고
늘 내가 먼저 걱정해 줬다

하지만 넌 날 좋아하지 않는 거 같다.

내 질문에 네 답만 있는 대화방이
왜 답장이 없는 것보다 못한 거 같을까

아니다
답장이라도 해주는 거에 만족해야 하는 걸까

너란 사람 참 밉다.

걱정

오늘도 따뜻하게
입었을까

밥은 제대로 챙겨 먹고 있을까

어디 다치진 않았을까

집은 잘 들어갔을까

내 하루는 온통 네 생각뿐이다

하지만 넌 나와 반대인가 보다

내가 연락을 해도 답만 있었고
내게 묻는 질문은 볼 수 없었다

그래도 난 널 계속 좋아할 거다

그것이 너에 대한 내 진심이란 걸
보여주고 싶으니.

계속

힘들면 포기하면 되지
모르면 포기하면 되지
가능성이 없음 포기하면 되지

나도 안다
포기하면 편할 거란 걸
하지만
너무 좋아해서, 포기하는 게
더 후회스러울 거 같아

계속 좋아할 란다.

아침에 보내는 연락은 사랑

너와 가까이 있고 싶지만
네 곁에서 챙겨주고 싶지만
그럴 수 없어
연락만 보낸다

천성이 게으른
난 꼬박꼬박 할 수 있는 게 없는데
너에겐 아침마다 꼬박꼬박
연락을 보낸다

몸은 멀리 있지만
마음만은
네 곁에 있고
있고 싶어 한다는 것을
알아 주거라.

비로소 2

축축한 빗길을 지나
차가운 눈길을 지나
고난과 역경을 견뎌
세월이라는 피할 수 없는 것이 지나
성숙이라는 보상을 얻고

비로소 네게 도착하겠다.

포기하는 이유

내게 너무 과분한 사람이라
내 곁에 있기엔 너무 좋은 사람이라
내가 사랑하기엔 너무 사랑스러운 사람이라
내가 원하는 사람이라

내가 좋아하는 이유가
이루어지지 않는 이유다

하나 장담할 수 있는 건
그 누구보다 널 사랑할 수 있다.

이유

너를 좋아했다

웃는 모습이 이뻐
성숙한 모습이 멋져
나에게 힘이 돼 주어서
좋아했다

세월이 흘러 느낀 건

이젠 널
사랑한다

사랑하는 덴 이유가 없고
이유가 필요할까

그냥 너라서 사랑하는 거 같다.

떠나가겠다

멀리서 보겠다
조용히 보겠다
그것만 허락해 주거라

절대 티 내지도
절대 표현하지도 않겠다

그냥
널 볼 수 있게만 해주렴
그럼 내가 알아서
떠나가겠다.

해탈

영혼 없는 네 표정
성의 없는 네 대답에
나는 점점 희망을 잃어갔다

무뚝뚝해도 밝은 면이 있었고
대답이 없어도 말을 걸고 싶었지만
나도 이제 지쳐간다

이 부질없는 사랑을 끝내려면
어찌해야 하는가

포기는 하기 싫고
도전하기도 싫다

그냥,
네가 차 줬으면 하네.

내 친구이자 오랜 짝사랑에게

오랜만이다.
친구이자 내 오랜 짝사랑아

안 본 사이에 많이 성숙해져
낯설었다

왜 이렇게 많이 변한 것이냐
나만 아직 그 시절에
나만 아직 그 감정에
머물러 있는 걸까

조금만 기다려 주거라
내가 더 많이 성장해서
더 성숙해져서 찾아가겠다

그때 동안 잘 지내거라.

계단

나의 짝사랑은
끝을 모르는 계단이었다.

처음에 용기 있게 올라가 본다.
목적지는 보이지 않고
지치기만 했다

하지만 성공이라는 도착지가 있을 거라는
헛된 희망을 품고 다시 올라간다.

올라가며 생각을 해본다
성공은 있는 걸까
감정만 낭비되는 게 아닐까
하며 포기하게 된다

짝사랑, 참 힘든 사랑이다.

보이지 않아도

저 하늘 높이 반짝이는 별들과 있는 너
저 심연 깊이 어둑한 어둠과 같이 있는 나

나는 널 보고 있지만
너는 날 보고 있지 않구나

멀리 있어도
보이지 않아도
내 마음은 네 곁에 있고
난 늘 네 생각뿐이란 걸
알고 있어 주렴.

말이 씨가 될까

외롭다는 말에 진짜 외롭고
힘들다는 말에 진짜 힘들다

인생은 말하는 대로
생각하는 데로 된다는 게
비로소 깨달았지만

너를 이리 좋아하는데
너는 왜 말하는 대로
안 되는 것이냐.

확신

심연 속 나직이 울리는 소리
적막한 공기 속 퍼지는 진심
빛나는 달에게 향하는 기도

봄, 여름, 가을, 겨울

사계절 내내 한곳만 바라보고 있는
내 마음

이루어지지 않을 걸 알면서도
닿지 않는 마음인 걸 알면서도
미련하게 꾸준하게
너에게 가고 있는 내 마음

험한 길이란 걸 누구보다 잘 알지만
아무리 험한 길이이어도
길 끝에 네가 있기에
난 계속 걷는다.

준비물

누군가를 좋아한다는 것은
아주 큰 용기와 책임이 주어진다

상대에게 표현할 수 있는 용기
꾸준히 좋아할 수 있는 책임감

나는 다 준비가 돼 있었는데

넌 거절할 준비만 돼 있었구나.

멀리서

푸른 산을 보려면 멀리서 보아야 하고
파란 바다를 보려면 멀리서 보아야 하고
좋아하는 널 보려면 멀리서 보아야 한다

이쁜 것을 보려면 왜 멀리서 보아야 할까
가까이 가면 왜 그 모습이 보이지 않는 걸까

결국 또 멀리서 보다 끝내야겠구나.

무응답

어떤 말을 해야 할지 몰라
계속 기다리고
고민했다

오늘이 지나면 평생 하지 못할 거라는 생각에
너무 이른 고백을
너에게 하기로 결심한다

답은 없어도 된다
그냥 내가 그런 마음을
가지고 있다는 것을 알아주기만 하거라

때론 무응답이 덜 슬프다는 걸 알거든..

궁금증

아침에 맑게 올라오는 일출처럼
일어나면 네 생각이 나고

황혼 무렵 붉게 내려가는 일몰처럼
잠들기 전 네 생각 난다

내 일상은 온통 네 생각인데

너는 조금이라도 내 생각을 하고 있을까?

너에게 전하는 말

이거 하나는 말할 수 있다
너에게 향하고 있는
이 마음은
진심이다

너는 장난처럼 보이겠지만
너로 쓴 글이 이리 많은데
어찌 이 마음이 장난이겠냐.

걱정

매일 아침마다 너에게 문자를 남긴다
"오늘 춥다."
"오늘 비 온다."
온갖 걱정거리를 만들어
너에게 전한다

돌아오는 답장은
대답밖에 없지만
되돌아오는 걱정은 없지만
이렇게라도 너의 연락이 오면
나는 만족한다

따뜻이 입어라
걱정되니.

침묵

"침묵"
때로는 좋은 선택일 수 있겠지만
타이밍을 놓치면 거짓말이 될 수 있다

나의 질문엔
예, 아니요. 만 있을 건데

너의 대답은 침묵인 걸까

"침묵"
이럴 땐 침묵이 대답이 되는구나.

잔소리

날씨가 추워지니
따뜻하게 입어라

해가 짧아지니
어서 들어가라

내가 너를 좋아하니
알아주라.

밀려오는 파도

밀려오는 파도에 밀리지 않았지만
다시 밀려오는 너에겐 밀렸다

보면 마냥 좋던 네 얼굴이
이젠 내 마음이 괴롭고

오는 연락에 강아지처럼 좋아했지만
이젠 내 마음이 흔들리다 못해 무너진다

이젠
사랑이 아니라 고통인가 보다.

작은 욕망

매일 아침마다
너에게 걱정을 하고

매일 아침마다
네 생각으로 하루를 시작하고
매일 아침마다
네게 연락을 보낸다

돌아오는 걱정
돌아오는 생각
돌아오는 답장은 없었지만

나의 그릇을 알기에
더는 욕심이란 걸 알기에

이렇게라도
네게 연락을 하는
그것으로 만족하기로 한다.

바닷물

저 멀리 있던 바닷물이
어느새 내 쪽에 가까워졌다

저 많은 물들도 내게 오는데
너는 내게 오질 않는 것일까

거친 파도도 내게 오는데
마냥 사랑스럽게 보이는 넌
왜 오지 않는 것이냐.

정신승리

오늘도 너의 연락을 기다린다

아침에 보냈던 연락이
과연 오늘 안에는 볼까
늦어도 내일쯤엔 오지 않을까

바빠서 못 보는 거겠지
볼 시간이 없어서 그런 거겠지
괜히 정신승리를 하는 내가
너무 비참하다

그냥, 상대에 있어 나는
아무것도 아닌 것뿐인데
나 혼자 그러는 거 일뿐인데
다 알면서도
괜히 마음이 초라해져
이 기분 나쁜 마음은
언제 겪어도 익숙하지 않아.

파도

잔잔하면서 때론 거친 파도가
내 마음과 같구나

너의 한마디에 지진이 나고
바람이 불듯 내 옆을 지나가면
마음이 흔들린다.

목소리

매일 눈으로만 보는 너의 말을
이젠 귀로 듣고 싶다

네 목소리, 네 말투 하나하나
귀로 듣고 싶다

그냥,
작은 내 욕심이다.

말이 씨가 되길

외롭다는 말에 진짜 외롭고
힘들다는 말에 진짜 힘들다

인생은 말하는 대로
생각하는 데로 된다는 게
비로소 깨달았지만

너를 이리 좋아하는데
너는 왜 말하는 대로
안 되는 것이냐.

방관

멀리 있어야
볼 수 있다

말을 안 걸어야
말을 들을 수 있다

무표정으로 있어야
웃는 걸 볼 수 있다

내가 안 가야
가까워진다

그렇게 나는 가만히
있어야 하나 보다.

숨김

기침처럼 널 좋아하는 마음을 숨길 순 없더라
숨길 수 없어서 티를 냈지만

내 표현이 너에겐 부담이 된 것인지 모르겠지만
나는 분명 당겼는데
왜 너는 밀려나는 것이냐

우리 사이에 무엇이 있길래 좁혀지지 않는 것이냐
내가 한 걸음 가면 넌 뒤로 한 걸음 가고
내가 올라가면 넌 내려가고

신의 장난인지
아니면 그럴 운명인지

나는 아직도 모르겠다.

기다림2

얕은 마음
순간의 감정이 절대 아니다

너를 향한 내 마음은
저 깊은 심연 속 보다 깊고
찰나가 영원이 될 수 있다지만
난 찰나의 순간이 아니다

그러니

몇 달이 걸린다 해도
1년이 걸린다 해도

너 하나만 바라보고 있겠다
긴 기다림 끝엔 보상이 있을 거니.

파도에 밀려

파도에 밀려 너에게 다가갔다
헌데 너도 왜 밀려나는 것이냐
나는 밀지도 않고 당기지도 않았는데
왜 움직이고 그러는 것이냐

말을 해주거라
상처 되는 말이어도 좋으니
네 진심을 알려주거라
그럼 편안해질 것이니.

감사

늘 생각 줘서 고맙다는
말을 들은 적이 있다

내 답변은
생각하게 해주어서 고맙다고 했다.

당연한 거다
좋아하면, 사랑하면 그 사람만 생각나고
걱정되는 게 당연한 거지

하지만 왜 내 마음은 받아주질 않는 걸까

역시 나는 네게 친구 그 이상 그 이하도
아니었던 걸까

고맙다 생각하게 해주어서.

한 걸음

내가 먼저 하지 않으면 오질 않고
가끔가다 먼저 와
받아 주려 하면
다시 뒤로 간다

넌 무엇을 생각하고
어떤 마음인지

왜 나와 모든 게 반대인지

신에게 물어보면 답을 알려줄까..

바닷물

저 멀리 있던 바닷물이
어느새 내 쪽에 가까워졌다

저 많은 물들도 내게 오는데
너는 내게 오질 않는 것일까

거친 파도도 내게 오는데
마냥 사랑스럽게 보이는 넌
왜 오지 않는 것이냐.

수많은 것 중에

수많은 사람 속에
수많은 우연 속에
운명이 아니면 만나지 못했겠지

나만 멀리서 바라보기만 했으니
우린 운명이 아니었나 보다

그냥 수많은 사람 속에
수많은 별 하나가 보였던 것처럼
너도 그런 거였나 보다.

짝사랑 2

아침에 하는 연락은 사랑이란 걸
너는 알까

내 잠을 깨는데도 힘든데
굳이 오늘의 날씨를 알려주고
따뜻하게 입으라고
걱정하는 이유를 너는 알고 있을까

맑은 하늘을
이쁜 보름달을
굳이 굳이 너에게 보내는 이유를
너는 알까
이쁜 걸 보면 너에게 보내고 싶은
내 마음을 너는 알고 있을까.

나직이 울리는 내 마음

내 마음을 한 번만 알아주세요
나직이 울리는 내 마음을
한 번만 들어주세요.

겨울보다 춥고
얼음보다 차가운
당신에게

섣불리 보여줄 수 없는
내 마음

따뜻했던 마음이
당신의 거절에 얼어버리면
누가 와서 녹여 줍니까...

확신

심연 속 나직이 울리는 소리
적막한 공기 속 퍼지는 진심
빛나는 달에게 향하는 기도

봄, 여름, 가을, 겨울

사계절 내내 한곳만 바라보고 있는
내 마음

이루어지지 않을 걸 알면서도
닿지 않는 마음인 걸 알면서도
미련하게 꾸준하게
너에게 가고 있는 내 마음

험한 길이란 걸 누구보다 잘 알지만
아무리 험한 길이이어도
길 끝에 네가 있기에
난 계속 걷는다.

떠나가겠다 2

비가 오는 어느 날에
내 눈물샘이 마르는 어느 날에
조용히 떠나가겠다

마음이 너무 아파
울어야 겨우 진정되는
이 고통을 안고 가고 싶지만
내 눈물샘이 마르면
울고 싶어도 울 수 없기에

비가 내 눈물이 되는 날에

나 홀로 조용히 떠나가겠다.

너에게 쓰는 시

발　행 | 2024년 1월 8일
저　자 | 서기
펴낸이 | 한건희
펴낸곳 | 주식회사 부크크
출판사등록 | 2014.07.15.(제2014-16호)
주　소 | 서울특별시 금천구 가산디지털1로 119
SK트윈타워 A동 305호
전　화 | 1670-8316
이메일 | info@bookk.co.kr

ISBN | 979-11-410-6565-2